太阳罢工了

太阳对人类生活的重要性

孙静　主编

长江出版社

图书在版编目(CIP)数据

太阳罢工了/孙静主编. —武汉：长江出版社，2015.10
（小牛顿问号探寻）
ISBN 978-7-5492-3844-6

Ⅰ. ①太… Ⅱ. ①孙… Ⅲ. ①太阳系—儿童读物
Ⅳ. ①P18-49

中国版本图书馆 CIP 数据核字(2015)第 252056 号

太阳罢工了
TAIYANG BAGONG LE

孙静 主编

责任编辑：高 伟
装帧设计：彭 宇
出版发行：长江出版社
地　　址：武汉市解放大道 1863 号　　邮　　编：430010
E-mail：cjpub@vip.sina.com.
电　　话：(027)82927763(总编室)
(027)82926806(市场营销部)
经　　销：各地新华书店
印　　刷：湖北日报社印刷厂
规　　格：889mm × 1194mm　1/16　2.25 印张
版　　次：2015 年 10 月第 1 版　2020 年 4 月第 6 次印刷
ISBN 978-7-5492-3844-6
定　　价：14.80 元

编者的话

为什么会有春夏秋冬之分？为什么会有白天和黑夜？便便是怎么来的？我们应该怎样保护牙齿？磁铁为什么能吸引铁？……大千世界无时无刻不在吸引着孩子们好奇的目光。孩子们的小脑袋里总会接连不断地蹦出各种各样的问题。他们碰到问题时，总会问“为什么”，这是他们开始认识世界、了解世界的表现。

这套科普绘本，是以孩子最喜爱的图画书的形式来讲述科学知识的。每一段简单的文字都配上了可爱的图画，孩子们在读故事、了解科普知识的同时，也能欣赏到美妙的图画，不知不觉地养成了阅读的兴趣和习惯。

这套科普绘本，内容涵盖了动物、植物、人体、自然、工具等各个领域，丰富多彩，能让孩子更全面地了解世界。每本书的最后，还有一个附加的部分，不仅对前面故事里所涉及的科学知识进行了总结，还有一些简单、易操作的小实验，来培养孩子的观察和动手能力。

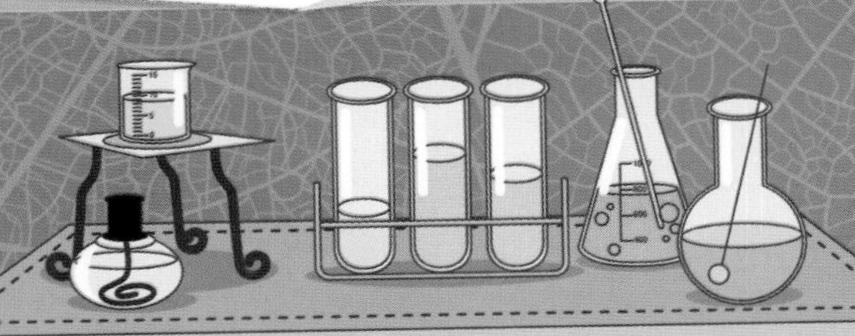

一天，人们觉得自己的工作太多了，玩的时间又太少了，就商量好，大家都不干活了。

于是学校没有老师上课了，工厂没有工人干活了，农民也不在地里种庄稼了。

大家什么都不干，在院子里聊天、喝茶。

THE WALL ST

知识加油站

太阳能给地球带来光明和热量，有了光和热，植物才能生长。

太阳在天上往下看，惊奇地发现没有人劳动了，人类都无所事事。

太阳心想：既然人类不劳动，那我也不用再给他们送去热量和光明了。

太阳对人们说：“我也要罢工！”“太阳公公，随你的便！”

太阳罢工了，没有了太阳，白天和黑夜一样。

人们希望月亮赶紧出来照亮地球，可到了夜里，天空仍然漆黑一片，月亮似乎跟着罢工了。

天文学家告诉人们："月亮本身不发光，它是把太阳照到身上的光反射到地球上的。"

人们想起来用电灯照亮街道，用电做饭、取暖。

好像依然能正常生活，人们脸上充满了笑容，照样吃喝玩乐。

可没过多久，可用的煤炭用完了，发电机不能开动了，电灯不亮了。

“我们可以用水力发电。”人们跑到大坝泄洪的地方，发现那里的水很小，根本不能推动水轮机。

气象学家告诉人们：“太阳把山顶的冰雪融化了，变成水，水流进河里，大坝才有水，才能推动水轮机发电。”

知识加油站

水力发电的基本原理是利用水位落差，配合水轮发电机产生电力，也就是利用水的势能转化为水轮机的机械能，再以机械能推动发电机而得到电力。

人们想到利用风，要建造大型的风车。那些工人们不乐意了：“你们都不干活，我们也不干。”

旁人都劝工人们：“这个工作是暂时的，等风车造好了，大家又可以过轻松愉快的日子了。”

工人们加班加点，很快造好了一个巨大的风车。

一切都准备好了，只等风来，风推动风车旋转，再带动发电机，这样就有电了。

人们等了好长时间，一丝风都没有。

“再耐心等等，一会儿就有风了。”他们又等了半天，还是没有风，人们变得烦躁不安。

气象学家说:“太阳照射大地时,光照多的地方比较暖和,光照较少的地方比较冷,热空气上升,冷空气流过去补充,空气流动才会有风。没有太阳,空气也流动少了。”

人们失望地说:“那我们白白造了大风车。”

知识加油站

空气流动所形成的动能称为风能,风能是太阳能的一种转化形式。

没有太阳的照射，地上的植物都已经蔫巴了，人们能吃的东西越来越少了。

没有太阳的照射，动物们也都躲在洞里不出来，世界一片寂静。

地球上的一切仿佛都被施了魔法，毫无生气。

天气一天比一天冷，人们的生活越来越糟了，他们相互吐着苦水，感叹着以前有太阳的日子。

终于，一个人喊了出来："我们要复工！我们要享受光明和温暖，欣赏绚丽多彩的世界，听听小鸟的歌声，闻一闻花草的香味。太阳公公，出来吧！"

越来越多的人聚在一起，大声呼喊：“太阳，你出来吧，我们需要你！”

人们的呼喊，震动了整个地球。

太阳听见了呼喊声，向地球一看，人们已经醒悟过来，就露出了笑脸。

太阳照亮了地球，世界顿时明亮起来。

花儿们有了阳光的照射，又抖抖身子，争相开放。

动物们有了阳光的照射，高兴地跳来跳去。

人们跑出屋子，站在太阳光下，温暖冻僵的手脚。

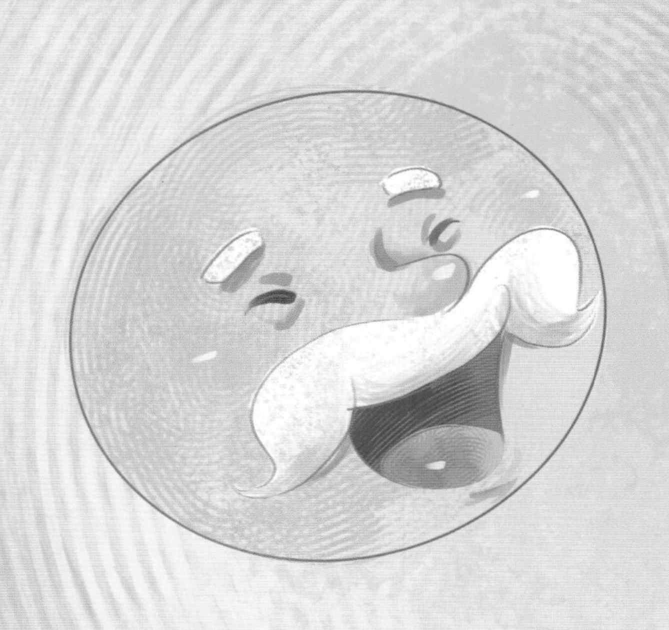

江河里的水又奔腾起来，风车也转动了。

孩子们回到学校上课了，工人开动机器了，农民在地里翻地、播种……

到了晚上，月亮也露出了甜甜的笑容。

太阳的基本信息

太阳是太阳系中唯一的恒星和会发光的天体，是太阳系的中心天体。太阳直径大约相当于地球直径的109倍，体积大约是地球的130万倍，其质量大约是地球的33万倍。从化学组成来看，现在太阳质量的大约四分之三是氢，剩下的几乎都是氦。

太阳是一颗黄矮星，黄矮星的寿命大致为100亿年，目前太阳大约45.7亿岁。

太阳的基本结构

按照由里往外的顺序，太阳是由核心区、辐射区、对流层、光球层、色球层、日冕构成。光球层之下称为太阳内部，光球层之上称为太阳大气。

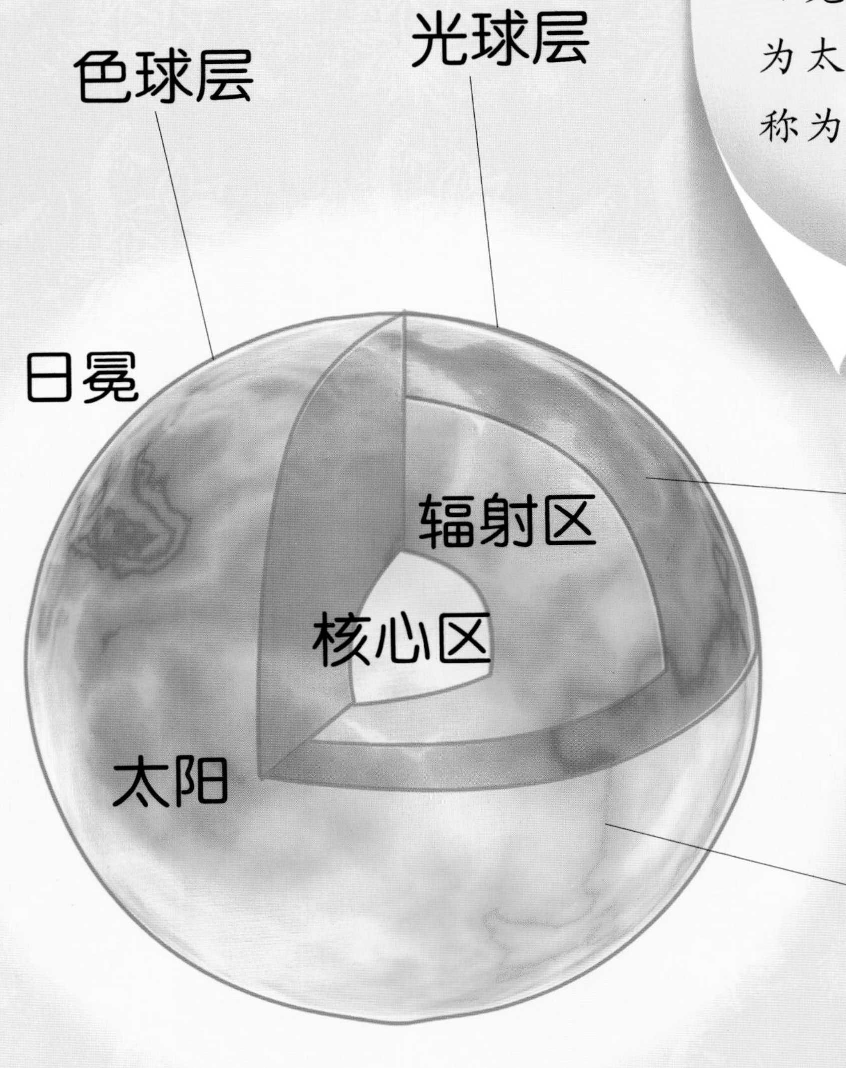

太阳系

太阳系是指太阳和受太阳引力围绕太阳转动的天体形成的天体体系。

太阳系是由位于中心的太阳、八大行星、围绕行星转动的100多个卫星、矮行星、彗星以及大量的尘埃和气体等组成的。

八大行星是指水星、金星、地球、火星、木星、土星、天王星和海王星，它们同时具备三个条件：围绕太阳转动，足够大、足够圆，在自己的运行轨道内基本不受其他天体的影响。

日食

日食，又作日蚀，是月球运动到太阳和地球中间，如果三者正好处在一条直线时，月球就会挡住太阳射向地球的光，月球身后的黑影正好落到地球上，这时发生日食现象。

在民间传说中，称此现象为天狗食日。日食只在朔，即月球与太阳呈现合的状态时发生。日食分为日偏食、日全食和日环食。

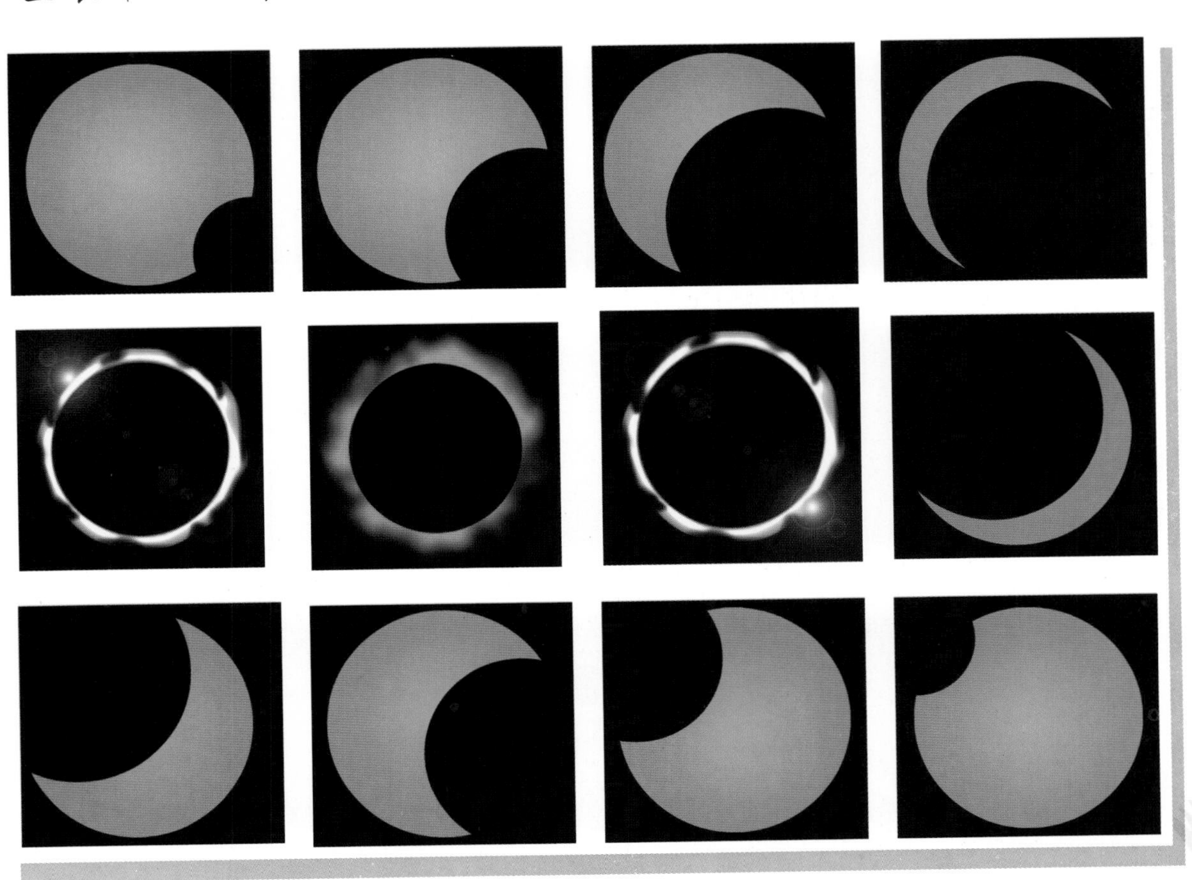

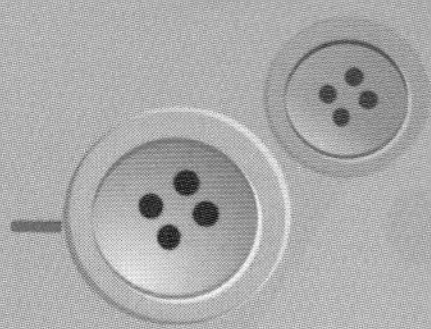

太阳活动对地面的影响

太阳系中的地球，在它的整个历史上始终受到太阳光和热的作用，它们与地球内部动力所引起的各种现象之间相互作用，驱动着地球表层的演化。当地球的大气圈、河水圈形成以后，以太阳能为动力的太阳这台发动机驱动着大气和大洋环流，形成风、云、雨、雪。河流出现了，开始流入大洋，山脉受到剥蚀。这一切都在塑造和改变着地表的环境，影响着地球的生物圈，使地球的气候、生物以及地球化学循环趋于多样化。

太阳能发电

照射在地球上的太阳能非常巨大，大约40分钟照射在地球上的太阳能，足以供全球人类一年能量的消费。可以说，太阳能是真正取之不尽、用之不竭的能源，而且太阳能发电绝对干净，不产生公害。所以太阳能发电被誉为是理想的能源。

光伏组件、光伏汇流箱

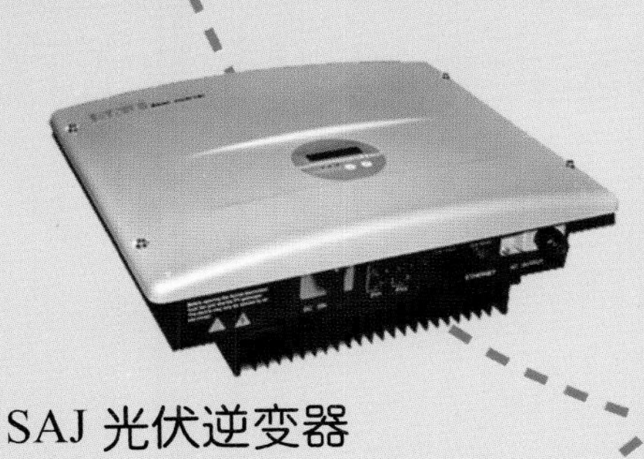

SAJ 光伏逆变器

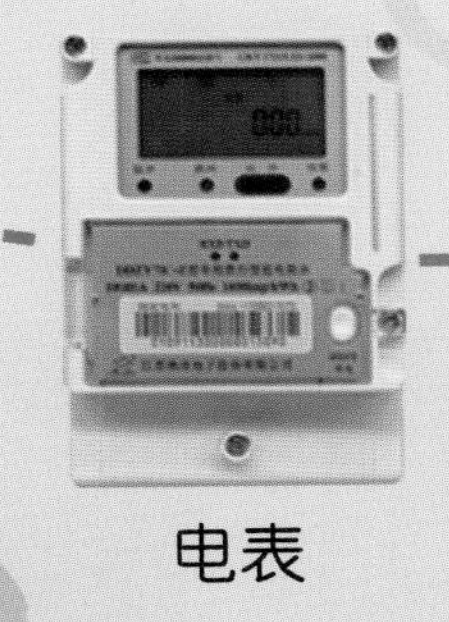

电表

电网

用电

下面哪幅图与太阳没有关系。

植物的生长

晾晒粮食

太阳能热水器

早上刷牙